D1093862

EL CABALLERO QUE DIJO «¡NO!»

Traducido por Elena Gallo Krahe e Ignacio Chao

Título original: *The Knight Who Said "No!"*
Esta traducción se ha publicado por acuerdo
con Nosy Crow Limited

ISBN: 978-84-140-1776-0
Depósito legal: Z 1666-2018

Impreso en China

Para mi padre y Kate
con cariño
L. R.

Para Jodie
K. H.

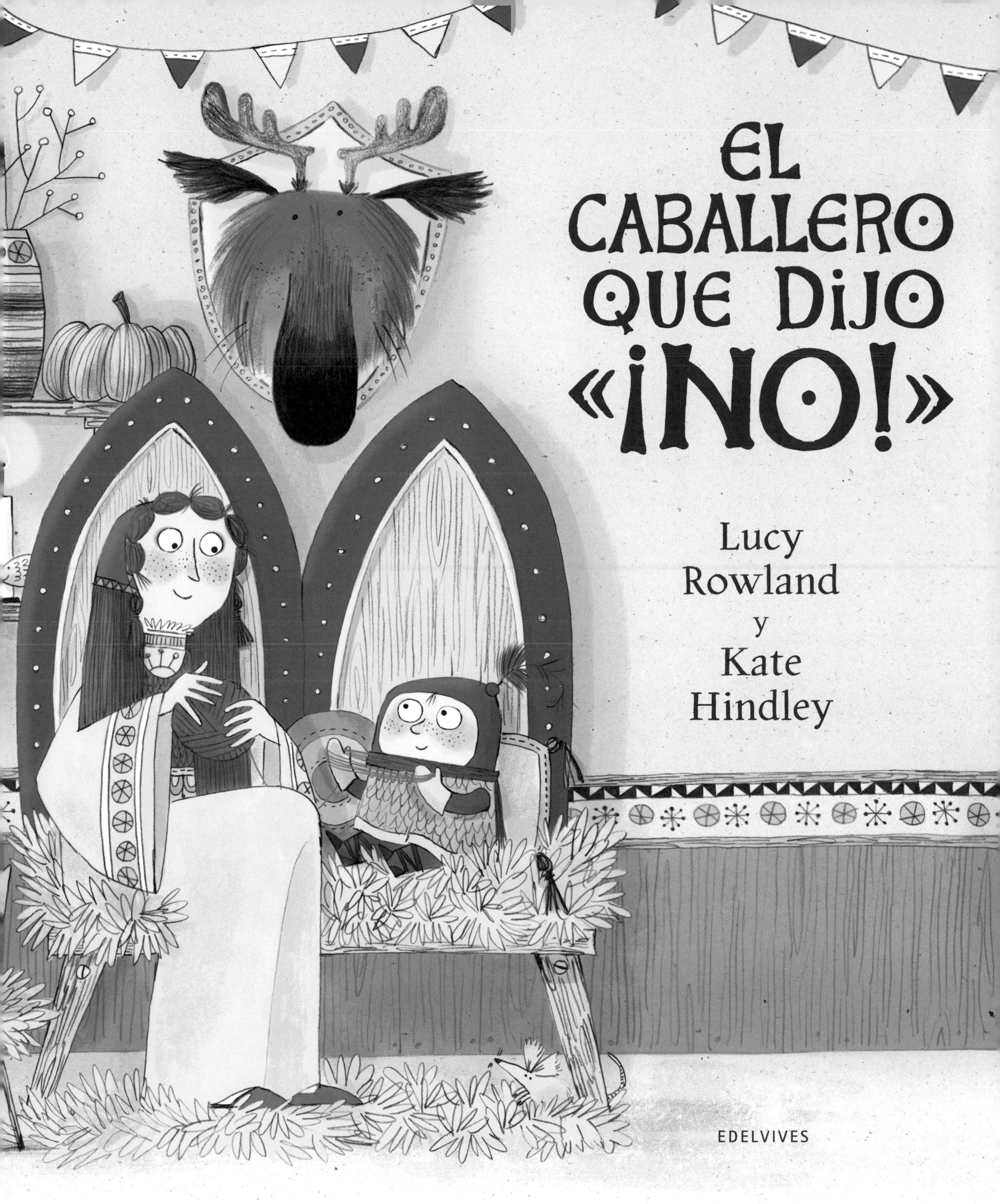

EL CABALLERO QUE DIJO «¡NO!»

Lucy Rowland
y
Kate Hindley

EDELVIVES

En lo alto de un castillo residía
un noble caballero y buen jinete
que *siempre* se prestaba a hacer su cama
y *siempre* recogía sus juguetes.

Llamaban Ned a tan amable niño
—la única criatura de aquel pueblo—,
que *siempre* contestaba a todo sí
y *siempre,* sin dudarlo, sonriendo.

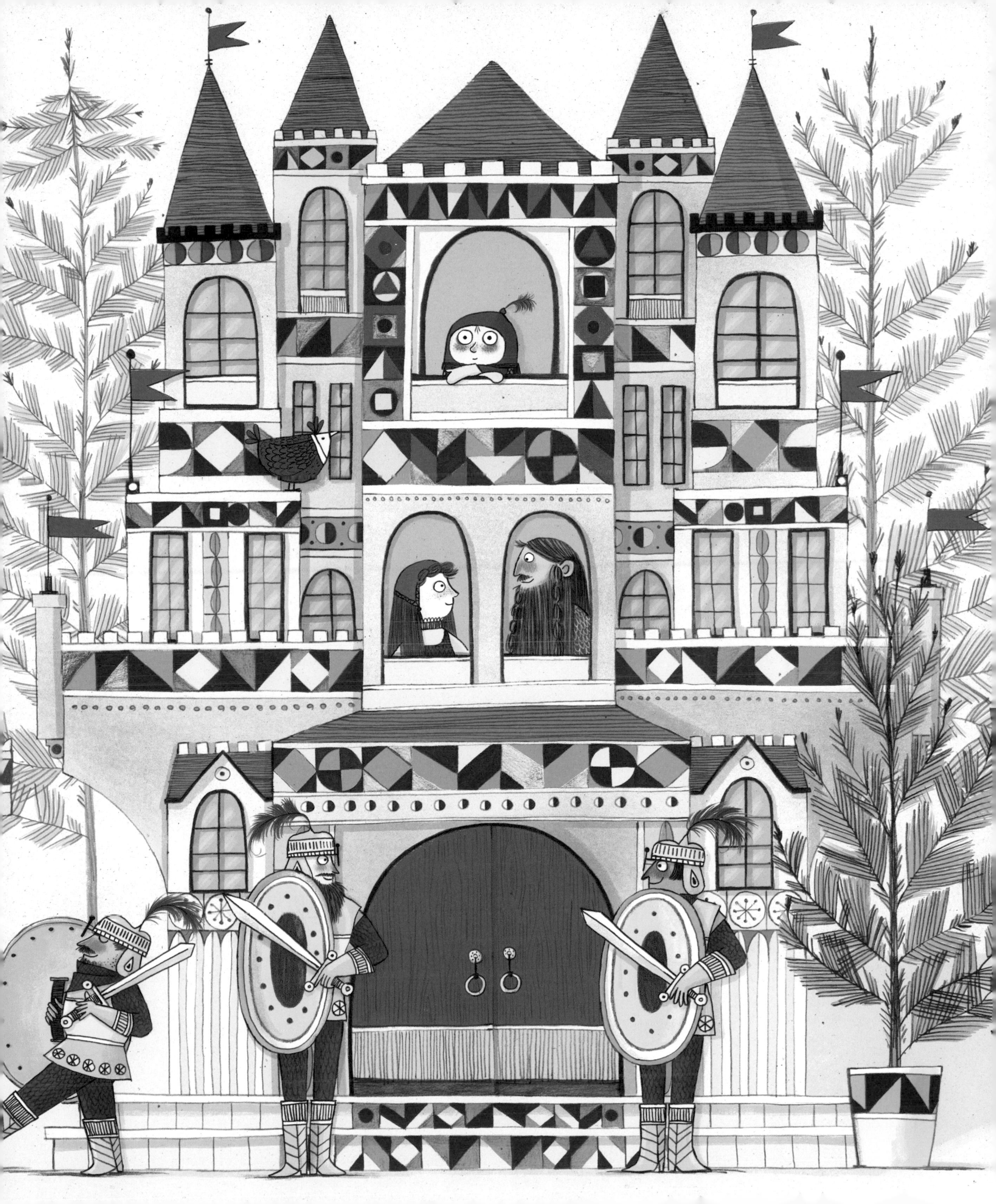

Que decía mamá «¡Lava los platos!»,
al rato respondía con «**¡SÍ, CLARO!**».

Que el padre le ordenaba «Ve a por leña»
¡allá corría él a la leñera!

Que alguno le decía «Vete al huerto.
Trae rápido una col y dos boniatos».
Él *siempre* respondía de inmediato
y *siempre* respondía

«¡POR SUPUESTO!».

Y cuando cada noche aquel **dragón**
surgía entre las nubes, por el cielo,
y gritaban los hombres «¡Precaución!»,
también Ned decía «**SÍ**» a sus consejos.

Y así noche tras noche, cada día,
el saurio descendía a la ciudad,
provocaba el terror en los vecinos
y dejaba, lloroso, aquel lugar.

—¡Uf, de menuda nos hemos librado!
—contaban los vecinos ya en su hogar.

Pero Ned se dio cuenta de que el bicho
huía con un gesto un poco hosco
y emitía un suspiro lastimero
seguido de un minúsculo sollozo.
Y pensó: «¿Le pasará como a mí?
¿Puede ser que se sienta un poco solo?».

Volvió adentro y su madre le anunció:
—¡Hay que irse ya a la cama, chiquitín!
¿Y qué respondió Ned?

«¡SÍ!» (por supuesto),
pues vio que era momento de dormir.

Hasta que una mañana, al despertar,
algo inaudito y raro le ocurrió.

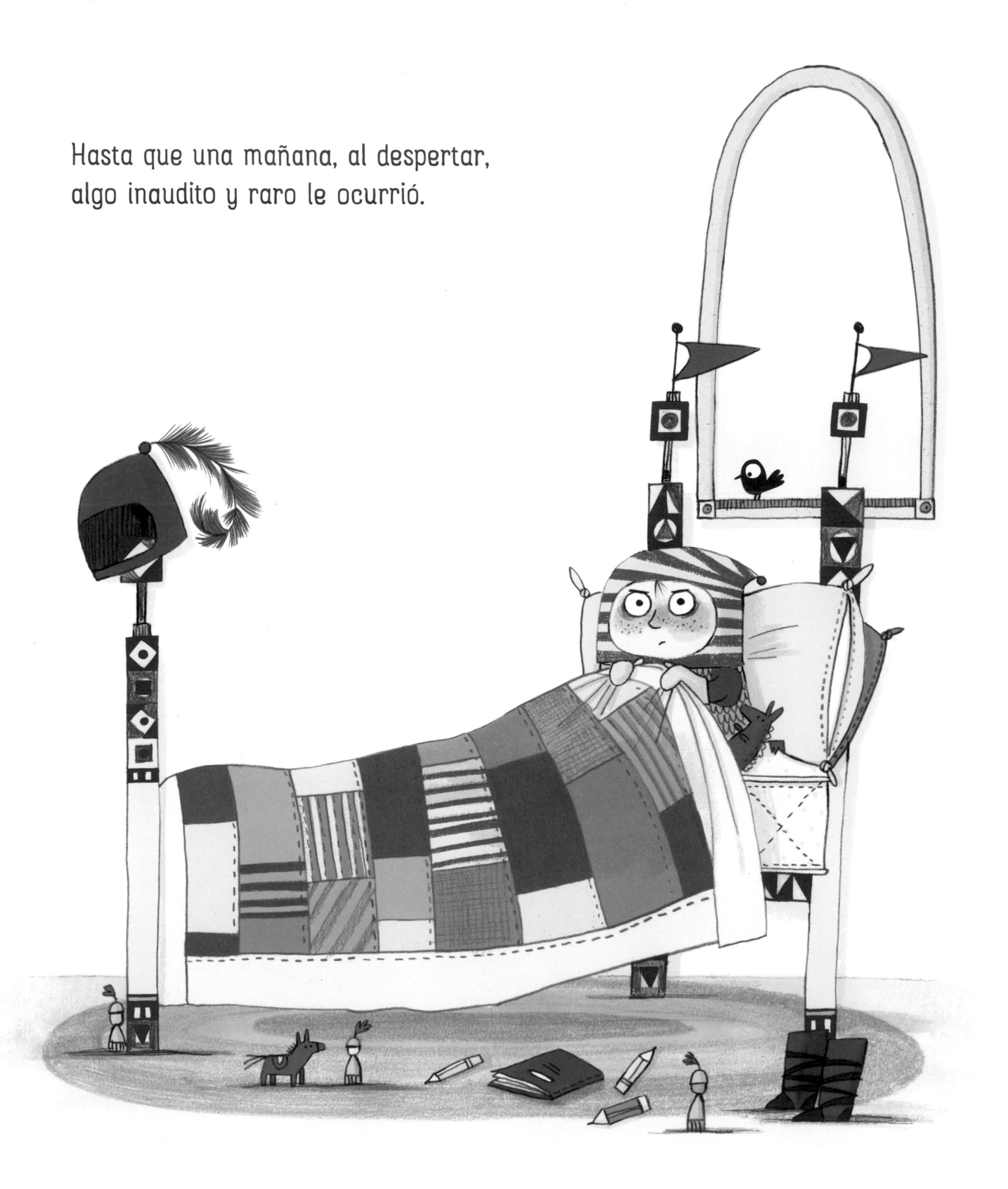

Al pedirle su madre «¡Trae la leche!»,
una respuesta nueva concibió.
¡Sintió que en su cerebro algo cambiaba
y que su cuerpo entraba en combustión!
Y, agitando alterado la mollera,
optó por responder con brío...

«¡NO!».

Su madre se quedó petrificada,
acoquinada y muy desconcertada.

Y atrás vino el papá,
que dijo satisfecho:
—Eh, Ned, hoy hay torneo.
¡Ayúdame, chaval!

¿No podrías acercarme el escudo
y el arco con las flechas, por favor?

Pero el pequeño Ned volvió a irritarse
y cargado de rabia gritó...

«¡NO!».

Digamos que esto fue solo el principio...
Decía a todo «¡NO!», ¡constantemente!

—¡NO! —le espetó, chuleta, al carnicero
que venía ofreciendo unos filetes.

—¡QUE NO! —gritó con miga a la del pan
cuando quiso venderle unas *baguettes*.

—¡QUE NO! —dijo también al pescadero
que intentó colocarle unos *jureles*.

Sus padres
no podían entenderlo.
—¿Qué te pasa?
¿No quieres la merienda?
Y él insistía en contestar
«¡QUE NOOO!»,
moviendo lentamente
la cabeza.

Se oyó de pronto un FIUUU muy penetrante.
Miró a lo alto Ned y vio un destello.
Era el **dragón** de dientes afilados
que alegre aleteaba por el cielo.
—¡¡¡A CUBIERTO!!! —gritaron los señores—.
¡¡¡Deprisa, Ned, adentro, por favor!!!

Y apretando los puños cuanto pudo,
el niño, harto de avisos, gritó...

«¡NO!».

Tras revolotear como una mosca,
el gran saurio aterriza y toma asiento.
Frente a él se planta Ned, que se le encara,
pero el pobre animal guarda silencio.

Y el chaval, que se acerca un poco más
y le suelta, atizándole una coz:
—¿Por qué no ruges, se puede saber?

Y susurra el dragón, no sin rubor:

—Es que me siento muy solo. Estoy harto de rugidos.
—Y le pide suspirando—: ¿Me puedo quedar contigo?
Ned lo miró confundido. Le habría dicho que no.
Pero, al ver llorar al monstruo, su «enfado» se disipó.

Ahora ya no estaba enfurruñado,
ya no era un niño serio e irritable.
Y se sintió radiante y refulgente.
Liberado, sereno y aliviado.

Con ojos circunspectos, miró al bicho.
Quiso inquietarlo hinchando la nariz:
—Me obligas a ofrecerte una respuesta.
No puedo contestarte más que...

«¡SÍ!».

Le encantaba al dragón su nuevo hogar.
Más le chiflaba jugar con su amigo.

¡Y trabajar, aunque no lo creáis!
(por ejemplo, ir por leña al cobertizo).

Y si el bueno de Ned se enfurruñaba
(cosa que sucedía más de un día),
se iba corriendo a buscar al dragón,
que siempre le arrancaba una sonrisa.